JE SUIS
CHARLIE

LIBERTÉ, J'ÉCRIS TES MOTS

FIRST
Editions

Les textes de ce livre ont été recueillis et sélectionnés par Jérôme Duhamel, assisté de Florence Dugot.

Jérôme Duhamel fut l'ami de François Cavanna, créateur de *Charlie-Hebdo*, et de certains des piliers du journal – Georges Wolinski, Cabu et Bernard Maris – tous trois exécutés le 7 janvier 2015. Avec eux, il avait édité ou co-signé une dizaine d'ouvrages.

© Éditions First, un département d'Édi8, 2015

ISBN : 978-2-7540-7557-2
Dépôt légal : février 2015
Imprimé en Italie

AVERTISSEMENT

Tous les textes de ce Petit Livre furent prononcés ou écrits à la suite des tragiques événements qui ont vu 17 personnes assassinées au nom d'un intégrisme religieux dévoyé : 13 victimes massacrées par les deux frères Kouachi à la rédaction de *Charlie Hebdo* et dans les rues alentour, 4 autres, à Paris et Vincennes, tombées sous les balles d'Amedy Coulibaly.

Ces textes n'ont qu'une valeur de témoignage, celui de millions de Français qui se sont unanimement dressés, dans toutes les villes de France, pour manifester leur émotion et leur douleur, pour crier leur colère et défendre les valeurs d'un pays, le nôtre, qui a l'immense chance de vivre en démocratie. Ces valeurs ont pour noms Tolérance, Respect, Ouverture d'esprit et surtout – surtout ! – Liberté. Avec au premier chef la liberté d'expression, par la parole, les mots ou… les dessins, mais aussi liberté religieuse, liberté politique, liberté des mœurs…

Les mots réunis ici ont été tracés à la va-vite sur des pancartes de fortune, peints sur les banderoles qui ouvraient les immenses manifestations du dimanche 11 janvier 2015, quand ils n'ont pas trouvé place dans les pages des journaux de tous bords de cette semaine tragique.

Émouvants ou drôles, naïfs ou grandiloquents, ces mots ont été choisis pour ne laisser aucune place à la haine, à la vindicte ou au désir de revanche. Ils ne sont que de petites lumières où tremblote la fragile espérance de n'avoir plus à connaître de telles heures de chagrin.

Jamais nos minutes de silence n'ont fait autant de bruit.

« Celui qui
tue un homme
tue toute
l'Humanité. »

Extrait du Coran (sourate 5, verset 32)

Je n'approuve pas tout ce qu'il y a dans *Charlie*...
Mais je veux crier avec Voltaire :

« *Je ne suis pas d'accord avec ce que vous dites, mais je me battrai jusqu'au bout pour que vous puissiez le dire.* »

« La liberté consiste à pouvoir faire tout ce qui ne nuit pas à autrui. »

Déclaration des droits de l'homme et du citoyen, art. 4, 1789

Anagramme du mercredi 7 janvier 2015 :

CHARLIE = CHIALER

12 BALLES POUR
UN HEBDO DE 4 PAGES,
C'EST UN PEU CHER, NON ? !

« Peut-on rire de tout ? Et pourra-t-on encore demain rire de tout ? Ces questions méritent d'être posées... »

Cabu

Sur vos grenades
Et vos fusils d'assaut,
Sur vos cagoules
Et vos Kalachnikovs,
Sur vos lance-roquettes,
Vos couteaux et vos drapeaux,
J'écris ton nom
LIBERTÉ

(Charlie Éluard)

TUER DES GENS AU NOM D'UN DIEU, NOM DE DIEU, QUE C'EST CON !

« Lorsque les pères s'habituent à laisser faire les enfants, lorsque les fils ne tiennent plus compte de leur parole, lorsque les maîtres tremblent devant leurs élèves et préfèrent les flatter, lorsque finalement les jeunes méprisent les lois parce qu'ils ne reconnaissent plus au-dessus d'eux l'autorité de rien ni de personne, alors c'est là en toute beauté et en toute jeunesse le début de la tyrannie... »

Platon, *La République*, IIIe siècle av. J.-C.

PROBLÈME MATHÉMATIQUE :

Comment faire 17 trous de balles avec 3 trous du cul ?

« Les journaux, il est toujours mieux de les lire que de les pleurer... »

Le Canard enchaîné, 14 janvier 2015

La connerie
n'est ni
dans le Coran,
ni dans la Bible.
Elle est sur
Internet !

Je ris,
Tu ris,
Il rit,
Nous rions,
Vous riez,
Ils meurent

CHOISIS TON CAMP, CAMARADE : LIBERTÉ DE PENSER OU LIBERTÉ DE TUER.

« La liberté,
ce bien qui fait
jouir des autres
biens. »

Montesquieu, *Cahiers*, 1716-1745

« Par le pouvoir d'un mot
Je recommence ma vie
Je suis né pour te connaître
Pour te nommer
Liberté. »

Paul Éluard, extrait du poème « Liberté »,
Poésie et Vérité, 1942

S'il te plaît,
dessine-moi
un mouton...

ou dessine-moi tout
ce que tu veux, mais

**DESSINE, DESSINE
ENCORE, DESSINE
TOUJOURS !**

Les proverbes célèbres :

Tel qui rit mardi, décédera mercredi.

César du meilleur film d'horreur :

« MAIS QU'EST-CE QU'ON A FAIT AU BON DIEU ! »

Une comédie explosive avec Cabu, Wolinski, Charb et aussi des policiers, des gardes du corps, des épiciers casher, un économiste, des agents de maintenance... À MOURIR DE RIRE !

ON NE PEUT RÉAGIR À LA NUIT DE LA CONNERIE QUE PAR LA LUMIÈRE DE L'INTELLIGENCE.

" Je demeure convaincu qu'un journaliste n'est pas un enfant de chœur et que son rôle ne consiste pas à précéder les processions, la main plongée dans une corbeille de pétales de roses. Notre métier n'est pas de faire plaisir, non plus de faire du tort, il est de porter la plume dans la plaie. "

Albert Londres, journaliste,
extrait de *Terre d'ébène*, Albin Michel, 1929

**Depuis toujours,
les cons me faisaient
rire.**

**Aujourd'hui,
ils me font peur.**

« Si tu diffères
de moi, frère,
loin de me léser,
tu m'enrichis. »

Saint-Exupéry, *Citadelle*, 1948

VOLTAIRE, RÉVEILLE-TOI, ILS SONT DEVENUS FOUS !

Et en même temps pense à réveiller Coluche, Bouddha, Jésus, Gandhi, saint François d'Assise, l'abbé Pierre et toute la bande.

Juste retour des choses :

Les assassins de l'imprimé meurent dans une imprimerie.

« Notre Père qui êtes aux cieux...
par pitié, restez-y
et dites à vos cinglés de nous lâcher la grappe ! »

(Presque par Jacques Prévert)

Ouvrir le feu
n'a fait que
rallumer
la flamme.

ON NE POURRAIT DONC PAS RIRE DE TOUT ?

(Si... si... mais chut ! ne le répétez pas trop fort...)

Charlie ? **C** comme courage – **H** comme humour – **A** comme amour – **R** comme résistance – **L** comme liberté – **I** comme insolence – **E** comme espérance.

@philippelabro

« Ami si tu tombes, un ami sort de l'ombre à ta place. »

Le Chant des partisans, 1943,
texte de Joseph Kessel et Maurice Druon

Je pleure de tristesse
Tu pleures tes amis
Il pleure de rage
Nous pleurons d'angoisse
Vous pleurez de peur

Les terroristes pleurent de rire

LE RIRE EST LE PROPRE DE L'HOMME.

ET LE SALE DU TERRORISTE.

Que le vert
de l'espoir soit
la couleur de
notre deuil !

« La tolérance n'a jamais excité de guerre civile, l'intolérance a couvert la terre de carnage. »

Voltaire, *Traité sur la tolérance*, 1763

« Sans la culture, et la liberté relative qu'elle suppose, la société, même parfaite, n'est qu'une jungle. C'est pourquoi toute création authentique est un don à l'avenir. »

Albert Camus, *Actuelles II : Chroniques, 1948-1953*, « L'Artiste et son Temps », Gallimard, 1960

Ceux qui veulent
éteindre les étoiles
en feront toujours
naître de nouvelles.

« Nous n'avons qu'une liberté : la liberté de nous battre pour conquérir la liberté... »

Henri Jeanson, dialogue du film de Julien Duvivier
La Fête à Henriette, 1952

Notre monde crèvera le jour où les mots n'auront plus le dernier mot.

Y aurait-il
un Dieu plus marrant
que les autres ?

Si oui, prière de contacter *Charlie Hebdo*, aux bons soins de *Libération*, 8, rue Béranger, Paris 3^e

CE N'EST PAS LA CONNERIE QU'IL FAUT ACCUSER.

C'EST INTERNET, QUI LA PROPAGE...

« NE VOUS MOQUEZ PAS D'HIMMLER, IL PEUT REVENIR... »

Desproges avait raison : les enfants d'Himmler sont de retour.

« La liberté, c'est la possibilité de tisser des liens avec ceux qui nous entourent. Elle n'est donc pas un exercice solitaire. La célèbre formule : "Ta liberté s'arrête là où commence celle de l'autre", nous trompe. Il faut être au moins deux pour être libre ; plus exactement pour mettre en place, jour après jour, des règles de vie en commun satisfaisantes pour chacun. »

Albert Jacquard, *Petite philosophie à l'usage des non-philosophes*, Calmann-Lévy, 1997

Tout commence à l'école :

« Eh, du con, éduquons ! »

Je suis Charlie, je suis juif, je suis musulman, je suis chrétien, je suis protestant, je suis bouddhiste, je suis athée, je suis flic, je suis gay, je suis de gauche, je suis de droite...

Ne serais-je pas légèrement schizophrène, docteur ?

" La liberté, c'est pouvoir défendre ce que je ne pense pas, même dans un régime ou un monde que j'approuve. C'est pouvoir donner raison à l'adversaire. "

Albert Camus, *Carnets II : Janvier 1942-mars 1951*,
Gallimard, 1964

Être libre, c'est
aussi pouvoir
dire qu'on n'a pas
toutes les libertés.

Bal tragique à
Charlie Hebdo :
12 morts

Les mecs de Charlie auraient dû relire Bernanos, l'écrivain qui disait : « Attention ! Les ratés ne vous rateront pas ! »

« Sauvons la liberté,
la liberté sauve le reste. »

Victor Hugo, *Choses vues*, 1851

Les Charlie ont rendu l'âme pour n'avoir pas à rendre les armes.

IL NE FAUT PAS COUPER LES FLEURS DU MAL.

IL FAUT LES DÉRACINER, QU'ELLES NE REPOUSSENT JAMAIS.

AUX LARMES, CITOYENS,

AFFÛTEZ VOS CRAYONS.

« L'humour, c'est aussi une façon de résister. »

Guy Bedos, préface de Saladin, *Les Nouveaux Immigrés :
les migrations de Djeha*, La Pensée sauvage, 1979

« Aimez-vous les uns
les autres. »

Ah, pardon, j'avais compris « Armez-vous »...

" Cette manifestation (du 11 janvier) restera dans les mémoires comme une borne, un amer, un sémaphore démocratique. Comment la faire fructifier ? C'est tout simple : combattre, tous les jours, ici et maintenant, demain et plus tard, avec force, avec patience, la peste identitaire. "

Libération, 12 janvier 2015

On m'avait dit
que Dieu était
mort... Pour
un cadavre,
il a de beaux
restes !

« La plus perdue
de toutes
les journées
est celle où l'on
n'a pas ri. »

Chamfort, *Maximes et pensées*, 1795

LES DESSINS SONT DES MOTS QUI RIGOLENT.

« L'humour
est le plus
court chemin
d'un homme
à un autre. »

Georges Wolinski, *Les Pensées*, Le Cherche midi, 1981

« S'il est vrai que l'humour est la politesse du désespoir, s'il est vrai que le rire, sacrilège blasphématoire que les bigots de toutes les chapelles taxent de vulgarité et de mauvais goût, s'il est vrai que ce rire-là peut parfois désacraliser la bêtise, exorciser les chagrins véritables et fustiger les angoisses mortelles, alors oui, on peut rire de tout, et l'on doit rire de tout : de la guerre, de la misère et de la mort. »

Pierre Desproges, France Inter,
« Le Tribunal des flagrants délires » (1980-1983)

C'EST EN VOULANT NOUS METTRE
À GENOUX QU'ILS NOUS
ONT REDRESSÉS.

Pas d'amalgame :

Ne nagez pas
à contre-Coran !

Pas d'amalgame :

Non, Mahomet n'est pas
aimé que par des cons...

Pas d'amalgame :

Défilez, oui. Défier, non.

L'HUMOUR REND LIBRE.

IL N'A JAMAIS RENDU CON.

« La liberté est une peau de chagrin qui rétrécit au lavage de cerveau. »

Henri Jeanson, ancien journaliste au *Canard enchaîné*

« Je préfère mourir debout
que vivre à genoux. »

Charb, rédacteur en chef de *Charlie Hebdo*

Ils vont
se trouver cons,
Cabu et
ses copains,
si Dieu existe...

❝ Mon premier mouvement, quand je vois quelque chose de scandaleux, c'est de m'indigner. Mon second mouvement est de rire. C'est plus difficile mais plus efficace. "

Maurice Maréchal, fondateur du *Canard enchaîné* en 1915

Ne leur pardonnez pas, car, eux, ils savaient ce qu'ils faisaient.

« Notre pays vient de montrer que la République n'appartient à personne, mais à tout le monde, aux enfants de Jaurès, de Tocqueville, Hugo ou *Charlie Hebdo*. Alors, de grâce, qu'elle ne tende plus sa joue sitôt qu'elle a reçu un soufflet sur l'autre ; qu'elle apprenne à se faire respecter ; qu'elle ne cède plus rien sur la laïcité, qui mériterait de devenir le quatrième mot de notre devise nationale : *Liberté, égalité, fraternité.* »

Franz-Olivier Giesbert, *Le Point*, 16 janvier 2015

Ne laissons pas tomber la nuit sur notre liberté !

« Suis-je vraiment le bon apôtre
Si je prêche comme les autres
Si j'offense qui m'humilie
La vraie victoire du Barbare
C'est de me changer en barbare
Je ne suis pas de ses conflits »

Francis Lalanne, le 11 janvier 2015,
dans la nuit à Forges-les-Eaux

LE RIDICULE NE TUE PAS.
LA BÊTISE, OUI.

« Je me révolte,
donc nous sommes. »

Albert Camus, extrait de *L'Homme révolté*, 1951

LES MOTS SONT DES BOMBES. LES DESSINS SONT DES DÉTONATEURS.

Nous sommes
tous nés
le 7 janvier 2015.

Révisez vos cours d'Histoire : des croisades à l'Inquisition, des colonies d'Afrique aux peuples d'Amérique du Sud, les intégristes chrétiens ont quand même massacré mille fois plus d'innocents que les musulmans !...

**Prenez garde
de bien peser
les mots au trébuchet
de l'Histoire :
de 1940 à 1945,
les résistants étaient
appelés « terroristes »
par la police et
le gouvernement
français...**

PAS D'AMALGAME : VOTRE LIBERTÉ DE PENSER COMMENCE PAR VOTRE LIBERTÉ DE RÉFLÉCHIR.

MÉFIEZ-VOUS DES DESSINS :
ILS TRANSMETTENT DES MALADIES
MORTELLES.

« Papa est parti, pas Wolinski. »

Elsa Wolinski, fille de Georges, *Paris Match*, 12 janvier 2015

« Les hommes fantasment la liberté plus qu'ils ne l'utilisent. Ils la gardent précieusement sur une étagère au lieu de l'employer. Là, elle sèche, se racornit et meurt bien avant eux. Car la liberté n'existe que si l'on s'en sert. »

Éric-Emmanuel Schmitt, *Petits crimes conjugaux*,
Albin Michel, 2003

Français, gueulez votre liberté :
ils ne pourront jamais dézinguer 66 millions de cibles !

Reconstruisons vite nos deux tours jumelles : la liberté et la tolérance.

« Je suis fier d'être con quand je vois ce que les hommes intelligents ont fait de ce pauvre monde... »

Georges Wolinski

« Non seulement Dieu n'existe pas, mais essayez
d'avoir un plombier pendant le week-end. »

Woody Allen, *Pour en finir une bonne fois pour toutes
avec la culture*, France Loisirs, 1973

Triste épiphanie :

ils ont tiré les rois du rire...

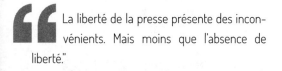 La liberté de la presse présente des incon-
vénients. Mais moins que l'absence de liberté."

François Mitterrand, propos tenu à Sofia, le 19 janvier 1989

Quand on abat des hommes, ce sont des idéaux qui repoussent.

Mystère de la chimie...

MÉLANGEZ DU SANG AVEC DE L'ENCRE, ET CELLE-CI NE SÉCHERA JAMAIS.

**DES FRANÇAIS
QUI APPLAUDISSENT
LA POLICE !
HEUREUSEMENT
QUE CABU N'EST PLUS LÀ
POUR VOIR ÇA...**

Je suis né en Algérie.

Je suis un musulman pratiquant.

J'ai lu le Coran et le relis souvent.

J'élève mes enfants dans le respect
de notre religion.

Bien sûr, je n'ai jamais lu *Charlie Hebdo*,
et pourtant

NON, JE NE SUIS PAS COMME EUX !

« Si Dieu nous a faits à son image, nous le lui avons bien rendu. »

Voltaire, *Le Sottisier*, Garnier, 1883

En apportant la mort, vous nous avez rendu mille fois plus vivants !

Je suis Charlie parce qu'ils ont voulu réduire
au silence un journal.
Je suis juif parce qu'on tue des juifs uniquement
parce qu'ils le sont.
Je suis flic parce qu'ils tirent les uniformes
comme au ball-trap.
Je suis musulman parce que je sais trier
le bon grain de l'ivraie.
Je suis infidèle parce que c'est ainsi que
les chrétiens les appelaient hier,
avant de les massacrer en masse.
Je suis athée parce que, quand même,
faut pas exagérer...
Je serai con le jour où ils décideront d'en finir
avec tous les cons...

Je dessine,
tu dessines,
ils déciment.

Les balles
des assassins
rebondissent
un jour sur
ceux qui les ont
tirées.

Soyons 66 millions à avoir la même idée

Pour que leurs cartouches d'encre à eux ne soient plus jamais vidées

Laissons des traces indélébiles pour que l'avenir puisse savoir

Que leur talent et leur courage ne vivent pas que dans nos mémoires. »

Grand Corps Malade, *Je suis Charlie,* janvier 2015

Charlie Hebdo était un journal financièrement à l'agonie... Trois simples d'esprit viennent de le sauver – et pour longtemps !

T'AS PEUR
D'UN CRAYON ?
ALORS, MOI J'AI PAS
PEUR DE TOI !

« Je fais confiance au bon sens de nos conci-
toyens qui savent faire la différence entre
un musulman normal et un psychopathe. Car ces
crimes inqualifiables relèvent de la psychiatrie. Il
est impossible que les tueurs soient nourris d'une
quelconque spiritualité. Je n'imagine pas que la foi
ait un jour caressé leur cœur. »

Tareq Oubrou, imam de Bordeaux,
au Vatican, le 7 janvier 2015

Non, l'ouverture d'esprit n'est pas une fracture du crâne...

" La démocratie et la liberté sont aussi fragiles que rares : elles sont à la merci du premier viol. Elles ne seront sauvées que s'il se trouve assez de démocrates pour en mesurer le prix et accepter de le payer. "

André Fontaine, *Le Dernier Quart de siècle*, Fayard, 1976

Je suis un Charlie très optimiste sur l'avenir du pessimisme.

Tomber 17 fois,
se relever
66 millions de
fois.

❝ Pardonnez-nous nos offenses comme nous pardonnons à ceux qui nous ont offensés... "

Dites donc, elle en a pris un sacré coup, votre prière au bon Dieu !

J'ai beau être Charlie,
j'arrive toujours
pas à trouver
le numéro du 14 janvier...
Ils sont vraiment
pas doués pour
vendre des journaux,
ces gens-là !

« Jamais dans aucun pays on n'a pris l'habitude de jouer avec autant de légèreté et d'impunité avec les idées, la religion, les mœurs. Cette distance de l'humour, quels qu'en soient les excès, est le signe le plus séduisant de notre civilisation. Il est le témoignage d'une irrépressible liberté, liberté vis-à-vis des autres, mais liberté à l'égard de nos propres croyances : le catholique y accepte qu'on ironise sur le Christ, le juif qu'on se moque des rabbins, le protestant qu'on malmène Luther. [...] Aujourd'hui, cet humour tourne à l'horreur. Il vire au tragique. Cet humour dont nous avons tant besoin pour vivre apporte la mort. Il avait pour but de nous distraire de la laideur du quotidien, il nous plonge au cœur même de l'ignominie à laquelle nous voulions échapper : l'intolérance et le crime. »

Jean-Marie Rouart, *Paris Match*, 12 janvier 2015

LES CONS M'A TUER.

Ne jugeons pas trop vite : ce n'est pas parce qu'ils sont dans l'erreur que nous sommes dans la vérité.

Alfred Jarry l'iconoclaste nous avait pourtant prévenus :

« Les idées, c'est comme les chaussettes : si on n'en change pas de temps en temps, elles puent. »

12 personnes
mortes à
Charlie Hebdo :
ces gens-là
n'avaient
vraiment aucun
savoir-vivre !

« Charb, Tignous, Cabu, Honoré, Wolinski... aurais-je eu... aurai-je votre courage ? »

Légende d'un dessin de Desmarteau, *L'Obs*,
14 janvier 2015

La liberté,
ça ne se mendie pas.
Ça se prend.
Ou, si on ne veut
pas vous la donner,
ça se vole.

NE RENDEZ PAS LES ARMES !
FONDEZ-EN LE MÉTAL
POUR EN FAIRE NAÎTRE
DES CARACTÈRES
D'IMPRIMERIE.

« Le vent se lève, il faut tenter de vivre. »

Paul Valéry, *Le Cimetière marin*, 1920

NE LAISSEZ PAS LES RÉSEAUX SOCIAUX LAVER LE CERVEAU DE VOS ENFANTS !

DANGER :
liberté d'expression !

Explosif à manipuler avec précaution.
Ne pas laisser à la portée des adultes.

La prison est l'école
du crime, c'est vrai.
Mais la bêtise l'est plus
encore.

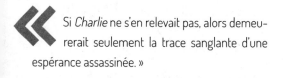 Si *Charlie* ne s'en relevait pas, alors demeurerait seulement la trace sanglante d'une espérance assassinée. »

Jean Birnbaum, *Le Monde*, 10 janvier 2015

Le meilleur moyen de ne pas être aussi cons qu'eux, c'est de ne pas raisonner aussi bêtement qu'eux.

66 Être libre, ce n'est pas seulement se débarrasser de ses chaînes, c'est vivre d'une façon qui renforce et respecte la liberté des autres. "

Nelson Mandela, *Un long chemin vers la liberté*, Fayard, 1995

Mais bordel ! ça faisait pourtant des années que Stéphane Hessel nous le répétait sur tous les tons :

INDIGNEZ-VOUS !

Le beauf de Cabu était alcoolique, misogyne et raciste.

Aujourd'hui, il est intégriste, criminel et toujours aussi con.

« Je me presse de rire de tout, de peur d'être obligé d'en pleurer. »

Beaumarchais, *Le Barbier de Séville*, 1773

" Est-ce un hasard ? Les terroristes ne se sont pas attaqués aux "islamophobes", aux ennemis des musulmans, à ceux qui ne cessent de crier au loup islamiste. Ils ont visé *Charlie*. C'est-à-dire la tolérance, le refus du fanatisme, le défi au dogmatisme. Ils ont visé cette gauche ouverte, tolérante, laïque, trop gentille sans doute, "droit-de-l'hommiste", pacifique, indignée par le monde mais qui préfère s'en moquer plutôt que d'infliger son catéchisme. **"**

Laurent Joffrin, directeur de *Libération*, 8 janvier 2015

Sommes-nous
condamnés à être
faibles parce
que nous sommes
civilisés ?

« J'appelle les Français à se lever ! De cette épreuve, nous sortirons encore plus forts ! »

François Hollande, président de la République française,
9 janvier 2015

ILS VOULAIENT TUER CHARLIE.

ILS ONT ABATTU DES CENTAINES DE MILLIERS DE MUSULMANS.

" Et soudain, la France s'est arrêtée. Les métros, les trams, les bus qui avaient mis leurs warnings. Les mairies, les préfectures, les hôtels de région, les ministères, toutes les administrations. Les écoles, les entreprises, les magasins, les bureaux de poste. Les tribunaux, les chambres de commerce, les casernes de pompiers. Les gens aussi, les gens surtout, se sont arrêtés. Comme ils étaient, en parka, en survêt, en uniforme ou en costume d'alpaga. À Lille, Nancy, Saint-Étienne, Brest ou Grenoble. Sous un parapluie ou sous un ciel bleu... **"**

Le Monde, 10 janvier 2015

ON RECHERCHE PIGEON TERRORISTE POUR ATTENTAT FÉCAL CONTRE LE CHEF DE L'ÉTAT.

Pour toute information, contacter M. Cazeneuve, place Beauvau.

Le Siècle des lumières ???

Oh, tu sais,
c'est bien loin tout ça...

" Notre équipe a été décimée à la kalachnikov parce que nous avons osé tourner l'islam en dérision. Avant que notre salle de réunion, lieu habitué aux blagues et aux éclats de rire, aux murs tapissés de dessins, ne se transforme en bain de sang, nous avons été mille fois menacés de mort. Tout le monde le savait, mais nous n'en étions pas moins haïs, conspués. Il a fallu douze cadavres pour que *Charlie* soit enfin compris. **"**

Zineb El Rhazoui, journaliste,
membre de la rédaction de *Charlie*, 9 janvier 2015

Ne confondez
pas, mes amis :
Je suis en deuil.
Pas en guerre.

" Puissent tous les hommes se souvenir qu'ils sont frères, qu'ils aient en horreur la tyrannie exercée sur les âmes. "

Voltaire, *Traité sur la tolérance*, 1763

MARCHONS. MARCHONS. QUE NOS CRAYONS DÉSARMENT LEURS DESSEINS !

« La guerre est ouverte entre démocratie et barbarie. Il faut s'y préparer, et ne pas baisser le crayon, jamais... Les dessinateurs de presse ne font pas des croquis dans une arrière-salle d'un bistrot de Saint-Germain-des-Prés. Ils sont branchés sur la planète et on veut les juguler. Mais ces tueurs ne savent pas que les créateurs sont plus forts qu'eux. »

Plantu, dessinateur-éditorialiste au *Monde*, 10 janvier 2015

Libre comme l'ART

❝❝ Notre liberté dépend de la liberté de la presse, et elle ne saurait être limitée sans être perdue. ❞

Thomas Jefferson, extrait de la Déclaration d'indépendance des États-Unis d'Amérique, 1776

« Je pense au sourire de Cabu... Cabu, c'est la liberté, c'est la joie de vivre... Il est mort en héros parce que lui ne s'est jamais voilé la face, contrairement à ceux qui sont entrés lâchement à *Charlie.* »

Laurent Gerra, humoriste, sur RTL, 8 janvier 2015

TU T'ES VU SANS CABU ?

« Il vaut mieux être un raté intelligent qu'un con efficace. »

Georges Wolinski

" Nous devons apprendre à vivre ensemble, comme des frères, sinon nous allons mourir tous ensemble, comme des idiots. "

Martin Luther King, discours du 31 mars 1968

« Il faut rire avant que d'être heureux, de peur de mourir sans avoir ri. »

Jean de La Bruyère, *Les Caractères*, 1688

« Et te revoilà, Charlie
Aujourd'hui et demain, c'est dit
À grands coups de dessins
En hommage aux amis
Une grosse paire de seins
Sur un barbu aigri »

Le groupe Tryo, « Charlie »

RÉTABLIR LA PEINE DE MORT ?...

ALLONS, ALLONS, N'UTILISONS PAS LES MÊMES ARMES QU'EUX.

« Il n'est point de bonheur sans liberté, ni de liberté sans courage. »

Périclès, 420 av. J.-C.

Ils ont voulu
nous mettre
à genoux mais
ils nous ont tous
mis debout !

Allez-vous enfin finir par vous aimer les uns les autres, bordel de merde ? !

Nos plumes pèsent plus lourd que vos plombs.

Ils veulent
nous réduire
au silence.
Ils n'auront
obtenu
qu'une minute.

« J'ai aidé à conquérir celle de nos libertés qui les vaut toutes, la liberté de la presse. »

François-René de Chateaubriand,
Mémoires d'outre-tombe, 1849-1850

Ces 17 Français seront morts POUR RIEN si nous finissons par oublier ce pour quoi ils sont morts :

Frédéric Boisseau, Philippe Braham, Franck Brinsolaro, Cabu (Jean Cabut), Elsa Cayat, Charb (Stéphane Charbonnier), Yohan Cohen, Yoav Hattab, Philippe Honoré, Clarissa Jean-Philippe, Bernard Maris, Ahmed Merabet, Mustapha Ourrad, Michel Renaud, François-Michel Saada, Tignous (Bernard Verlhac), Georges Wolinski

« L'AVENIR EST QUELQUE CHOSE QUI SE SURMONTE. ON NE SUBIT PAS L'AVENIR, ON LE FAIT. »

Georges Bernanos, *La Liberté, pour quoi faire ?*, Gallimard, 1953

C'est l'encre
qui doit couler.
Pas le sang.

L'HEURE EST TRAGIQUE, RIONS !

Le Canard enchaîné, 14 janvier 2015